ドラえもん 7

藤子・F・不二雄

ドラえもん7　もくじ

■藤子・F・不二雄■

帰ってきたドラえもん

おうい、のび太《た》。
お友だちがよんでるわよ。
今いそがしい。
どうしたのよ、いったい。
毎日ぼやあっとしちゃって……。
ドラちゃんとやくそくしたんでしょ。
ひとりで、ちゃんとやってみせるって。

元気《げんき》だしなさい。
コ ツン
ぼくはだめだなあ。いつまでもおもいきりが悪くて。
しっかりしなくちゃ。
くよくよしたって、ドラえもんが帰ってくるわけじゃなし。
ようし！これから気をとりなおして明るくくらそう。
おっ、きたな。
ツチノコをみつけたんだ。
ツチノコ!?
あのまぼろしのヘビ。大発見《だいはっけん》じゃないか。
そうなんだ。
つかまえるのてつだってくれ。
よ、よしっいいとも。

この土管《どかん》へおいこんだの。
そっちからつついてくれないか。ぼく、こっちでつかまえる。
よ、ようし。
ガラガラ
ウ～
ワンワン
ひどいいたずらするなあ。
おっ、のび太《た》、ここにいたか。
お、お、おまえ……、お、お、おちついて聞けよ。
い、いまそこで、
だ、だれにあったと思う。
ド、ラ、え、も、ん。

ドラえもん!?
ドラえもうん。
ドラえもん。
ドラえもん。
ママあ、どこにいるのドラえもんは。
ドラちゃん?知りませんよ。
くるわけがないでしょ。もう二度とこられない、といって帰ったのに。
きたんだよ。
おかしいな。どうしてぼくに顔を見せないいんだろ。

わかった!
てれくさいんだよ、きっと。
あんなになみだ流して、わかれたもんだから。
ばかだなあ。気にしなくていいのに。
早くあいたいなあ。
そうだそうだ。
ちょ金を全部おろして……、
あいつの大すきなドラやきを、
どっさり買ってきておこう。
どうだ、やっぱりおれのうそのほうがあざやかだったぞ。
まけたあ。
四《し》月《がつ》バカ!?
ころっとひっかかるもん。
やっぱりのび太《た》が、いちばんだましやすいよな。

なんだ
なんだ。
四月バカに
だまされて、
おこるやつが
あるか。
くやし
かったら
おまえも
うそを
つけよ。
ドーン
うしろ
に
おば
けが
いるぞっ。
聞いたかや、
あの
ようちな
うそ。
まあまあ
この
ていどの
ものでしょ、
のび太《た》の
うそなら。
う、う
………。
ドラえ
もん…。
思いだしした!!

ぼくが行ったあとで……、
がまんできないことがあったら、これをひらけ。
そのときみに必要《ひつよう》なものが、出てくる。
飲み薬らしい。
「ウソ800《エイトオーオー》」だって。
「これを飲んでしゃべると、しゃべったことが、みんなうそになる。」
四月バカにぴったりだ!
ようし!
ゴクゴク
ニヤリ

あいつらゆるせない。
ドラえもんが帰ったなんて。
ぼくにとっては、いちばんざんこくなうそだ。
ゆるせない!!
なんだ、ばかにはりきってきたぞ。
また何かくだらないうそ、考えたな。
どんなうそ、考えた?
さあ、いってごらん。
?
きょうは、いい天気だ。
それがうそ?
ザァ

はげしい雨が、ふってきた。
カラリ
なにをしやがる。
ハクショ
ハクショ
おこるなよ。四月バカだからうそついたんだ。
だからぼくがいい天気といえば雨がふる。雨といえば晴れる。
きみのわるいやつ……。
さてこんどはどんなうそをつこうかな。
きみは犬《いぬ》にかまれない。
ガウ
ガウ
ガウ
きみはね……、
ママにほめられるね、いやというほど。
ここにいたな。

やめろよかあちゃん、
ぼう力反対！
いでで…。
ははは……。
はは……。
ドラちゃんいた？
ドラえもんがいるわけないでしょ。
ドラえもんは帰ってこないんだから。
もう、二度とあえないんだから。

のび太《た》くん。
じつにふしぎなんだよ。
急にまた、こっちへきてもいいことになった。
な、なぜ?どうして?
それがぼくにもわからない。
ははあ、ウソ800《エイトオーオー》を飲んで……、
ぼくが、もう帰ってこないといったのか。
うれしくない。これからまた、ずうっとドラえもんといっしょにくらさない。

小人ロボット

のびちゃん、またおひるねしてるの。
よくそんなにねられるわね。
ひるねだけはとくいなんだ。
ねようと思えば、いつでもどこでもねむれるよ。
こう目をとじて、一、二、三と……。
のびちゃん。
グウ。
しゅくだいあるんでしょ。
やります。
ぽかんと、なにを考えてるの。
あのくつやさんはいいなあ。
だれのこと。

ほら、どうわにでてくるじゃない。
くつやさんがびょうきになって、しごとをやりかけのままねちゃうんだよ。
よなかになって、小人たちがあらわれて、くつをつくってくれたんだ。
ねてるまにしごとしてくれるきかいってないものかなあ。
あるよ。
小人ばこ。
これにたのんでねると、小がたロボットがでてきてやってくれる。
しゅくだいたのもう。
まてよ……。
きょうのしゅくだいはむずかしいんだ。ロボットにできるかな。
できるさ。
ほかのことでためしてみよう。

なにかしごとない？
いいえ、けっこうよ。
のびちゃんにたのむと、なにやってもしっぱいするんだから。
ちゃんとやるよ。
くつみがきをたのまれた。よろしく。
ねなくちゃいけないのか。
一、二、三……。
グウ。
パカ
キュッキュ
ゴシゴシ
まあ、きれい。
買ったばかりみたいだわ。
どんなもんです。
どんなしごとでも、できるんだ。

しずちゃん、なにかしごとない。
草むしりがたいへんなの。
ひきうけたからあっちへいって。
一、二、三……。グウ。
まあっ、もうおわったの。
くるまのこしょうだ。なおそう。

のび太《た》になおせるもんか。
そんなのねながらなおせらい。
グウ……。
ごそごそ
きみは天《てん》さいだ。
すげえ。
うちのせんたくきなおしてくれよ。
ぼくもたのみがある。
おれも。
いくらでもひきうけるよ。じゅんばんにねむって……いや、かたづけていこう。
やっとおわった。
おそかったわね。

しゅくだいまだなんでしょ。
ねるときやります。
じゃ、ねるから。
あとよろしくな。
一、二、三……。
あれ。
一、二、三……。
一、二、三……。
一、二、三。
どうしてもねむれない。
ひるま、ねむりすぎたんだ。
ねないと小人はでてこないからね。
やはり、じぶんでやらなきゃだめか。

ジャイアンズをぶっとばせ

めずらしい。
バットのすぶりなんかしちゃって。
これにはふかいわけが……。
あるんだろうね、もちろん。
けさからまた野球の試合《しあい》があって……、
ははあ、きみのせいで負けたんだね。
それでみんながいうことには……、
のび太《た》くんは野球にはむかないと。
みんなのためにチームをしりぞいて……、
女の子とあやとりでもやってろといわれたのか。
見てたの？
見てなくてもわかるよ。
こんなにばかにされてひっこんでいられるか。
いられない。
ぼくは名選手《めいせんしゅ》になって、みんなをみかえしてやりたい！
みかえしなさい。
野球のうまくなる道具を出して。
そうらきた。
すぐぼくのポケットをあてにする。
自分の力だけでやってみようと思わないの？
だから、だめなんだ。

ぼくはね……、
お説教《せっきょう》聞きたくてそうだんしたんじゃない。
ぼくがくやしい思いをしていれば、きみもいっしょにくやしがって…。
もういい！
「エースキャップ」
どんないいかげんなボールを投げても、ストライクになる。
「ガッチリグローブ」
グローブがすばやく動きまわって、かってにボールをとる。
「黄金バット」
ふりまわしさえすれば必《かなら》ずあたる。
これなら、だれだって勝てるじゃないか！
さあ、どうかな。道具を使うのは、けっきょく人間だからね。
まっ、やってみるんだね。

負けるわけないじゃん。
なんだい、おもわせぶりいっちゃって。
せっかくすごい道具がそろったんだから、有こうに使わなくちゃな。
そうだ！ぼくのチームをつくろう。
ジャイアンズをめためたに負かそう。
えっ、女子野球チーム？
そう。
メンバーを集めてよ。
やったことないのよ、あたしたち。
ぼくひとりで九人分かつやくするから、まかしとけ！
いっぺんやってみたかったんだ。
弟のグローブかりてきたのよ。
これ兄きの。
やるからには勝たなきゃね。
負けたらかんとくが悪いのよ。
ただじゃおかないからな、おい！
すげえのがきたなあ。

おまえのチームって、これか？
そう、ジャイアンズを負かすためにつくったんだ。
グハハハ
ヒヒヒ
ウヒョウ
ウヒョウ
むこうが先に打つ。きみらのポジションをきめよう。
わたしピッチャー。
あら、ピッチャーはあたいよ。
ぼくにまかしたまえ。
あたくしも。
いっしょになかよくなげましょ。
かってにきめちゃだめっ。
かんとくはぼくなんだから。

てきとうにそのへんにちらばってくれればいいや。
のび太《た》のたまなら、ただ立ってるだけでフォアボールさ。
へへへ、エースキャップをかぶってるんだぞ。
どんな投げかたしたってどまん中……。
キャッ
ビュン
わたしにぶっつけようとしたねっ。
うけてくれなくちゃこまる。
だったら、もっとやさしく投げろよ。
そうっとふんわりと。
……
これくらい？
フンワリ

のんびりしたボール。
外野、バックバック!!
ピ ピ
グイ
わあ、グローブがからだをひっぱるぞ。
ギューン
おじょうず。
ベースががらあきじゃないか。
あら、ボールとりにきちゃいけないの?
じゃ、これからぜんぶまかせましょうよ。

こんごいっさいボールに手をだしません!!
ねーえ
そ、そんな…。
そうっと投げろよ!!
エヘヘヘエ。
十三点もとられて、やっと一回表のおわり。
なにくそ、とりかえすぞ!
あたしに打てるかしら?
黄金バットで必《かなら》ず打てる!

ギューン
こわい。
ふりまわせっ。
カアン
ヒャ。
見て見て、すごいあたり。
走れえっ。
でかした。
一るいをふまなきゃ。
へへへアウト。
それみろっ。
つぎ!
打ったら走る!いいな!

ああっ、そっちは三るいだぞ、ばかっ。
みろみろ！またアウト！
カァン
あらん、おそかったわん。
おそいと思ったらすべりこめっ。
シズシズ
そんな、お洋服《ようふく》よごしたらおかあさまにしかられるのよ……。ひどいわ……。
グスン
なんだよさっきからのたいどは！
そうよそうよ。ヒステリーみたいにきゃんきゃんどなりちらして！
みんながいうことには、ぼくはかんとくにはむかないから、
ひとりであやとりでもしてろといわれたの。かわいそうに。

さかな

空とぶ
どう、よくなれているでしょう。
パ
ヌウ

ぼくがくんれんしたんだ。
さかなもなれると、かわいいよ。
きみたちもかってみな。
あっ。
ごめんごめん。わるいこといって。
このへんで、にわに池があるのは、うちだけだった。
なにいっ、またスネ夫《お》にばかにされたって。
よし、うちでも、さかなをくんれんしよう。
むりいうな。
金魚ばちもないのに。

何もなくてもいいんだ。
たのもしいなあ。
ではさっそく。
金魚なんか、つまんないよ。
あまり人《ひと》のかってないさかながいいよ。
高いんだろ。
ただだよ。
げっ、海の中からとるの。
ひとつかみとって。

ぎゅっと、にぎって。
においをつけて。
ギュ
海にまいてごらん。
バシャ
バシャ
ザバー
きゃっ、さかながとんでくる。
このえさを食べると、空気の中でも生きていられるんだ。
そして、えさをくれた人に、なれるんだよ。

ほらね、しっぽをふって、ついてくるよ。
えっ、さかなをかってる。
池もないくせに。
おたまじゃくしかなんかだろう。
ピピッ
野比

なれてるだろう。
サッ
チンチン。
クルクル
おまわり。
やあ、おつかいごくろうさん。
いい、いったいどうやって。
このえさを、ギュッとにぎってだね。
のび太《た》くん。
だめだよ。ひみつをしゃべっちゃあ。
ごめんな。

さん歩《ぽ》させよう。
道くさくっちゃだめだよ。
すごい。
うらやましい。
くやしい。
ひとつかみとってやれ。
ゴチ
ゴチ
チュッ

るすばんが、いたのか。
でも、ひとつかみとったぞ。
ぼくのおじさんは船長だ。
いつも船で、外国へ行くんだった。
これをばらまけって。
そう、なるべく海のまん中で。
どんなさかながくるか楽しみだ。ウシシ。
きゃあっ。たすけてざます。
うわあ、へんなさかながついてきちゃったよ。

好《す》きでたまらニャい

なんだ、まっぴるまから、ゴロゴロして。
起きろよ、ごはんだぞ。
ポヤ〜ン
ドラちゃんおいしい？
まずい？
ポヤ〜ン
自動的に食べてる感じ。
パク
パク
おいっ、ぼくのだぞ。
そうなんだ。
どうもこのごろ食よくがなくて。
冷《つめ》たい水で顔でもあらいな。
ポヤ〜
どうもありがと。

あいつ、このごろどうかしてる。
きたときから中古ロボットだからな。
そろそろこわれたのかな？
ギャッ、ばけネコ。
ぼくだよ。
なんだい、そのかっこう。
ぼくは、もともとネコ型《がた》ロボットだ。
だめだ！ボール紙《がみ》のつけみみなんか、いかさない。

おい、いったいどうしたんだよ。
うるさいなあ。
ぼくはなやんでいるんだぞっ。
きみが、なやんでる？
ウヒ
ウヒウヒ
ゲシ
ゲシシ
ごめんよ。
もう、わらわない。
そのなやみというのを、聞かせてよ。
ぼくにできることなら、なんでもするぜ。
じつは……。
フン…フン…。
エエッ、すきなネコができた？

プーッ
ング……。
ウ、
ク。
ウ。
……わらわないね。
で、相手《あいて》はきみのことを？
さあ、どう思ってんだか……。
どうせぼくなんか…。
はっきり聞いてみなきゃ、わかんないだろ。
そうんな。
はあずかしい！
ひとりでくよくよしても、しようがないよ。
さ、さ。
だってん…。

ドキドキドキ
ははあ、あのネコかい。
ガタガタ
ブルブル
ハヒイ。
てれるがらじゃないだろ。
よ、よ、ようし!
ガタガタ
ガタガタ
ガタガタ
ドテン
ゴロゴロ

ニャ、ニャニャニャゴ……。
ゴロニャ…………。
……………。
なにがどうなったんだ。
おい、待てよ。
ゴッ
ガッ
ガッ
ばかなまねはよせっ。
やめろってば。

まあまあおちついて。
どうせ、ぼくなんか……、だめだい。
だからなにがどうしてだめなんだよ、聞かせろよ。
あのネコになんていったんだ。
あけましておめでとう、と。
ちょっと気がはやいみたい。
きょうは中ぐらいのお天気ですね…と。
なぜ中ぐらいかといえば、とくにいい天気でもなく、さりとて悪くもないです。
りくつっぽすぎる。
そしたらあの子《こ》、じいっとぼくの顔をみて…、
うん、なんていった?
デブはいやだって。
風船みたいな顔は、きらいだって。

あいつが、そんなことをいったのか。
そういう目つきで、じいっと見たんだ。
ぼくはもう、こわれてしまいたい。
しっかりしろ。
男だろ！どうして見かけにばっかりこだわるんだ。
……だってん。
人間のねうちは中みだぞ。
たとえひと目見てふき出すような顔でも…。
ふた目と見られない顔でも、はじることはない。
それほどでもないぞっ。
だから自信《じしん》をもてといってるんだ。
うまくいくようにコーチしてやる。
ほんとかい！

なにか、プレゼントするといいんだ。
カツオぶしがいい。
しかられるよ。
いいんだ。
きみには、いつもせわになってるしな。
これくらいのことは、しなくちゃ。
あ、あ、ありがと……。
なかせるなあ。
プレゼントできっかけをつくったあとは、なにかおもしろい話で、相手《あいて》をひきつけよう。
ここで、練習《れんしゅう》してごらん。
は、話ってなにをしゃべればいいのかな。
きょ、きょ、きょうは、中の上くらいのお天気ですね。
天気なんか、どうでもいい。
どうでもいい天気だね。
べつの話題《わだい》。
公害《こうがい》についてですね。

もっとゆめのある話を。
ドラやきを100こ食べたゆめを見てね。
だめ？
話なんか、どうでもいいさ。
口さきよりま心だ。
自信《じしん》を持て！ぼくは世界一だと！
すきだってこといわなきゃ、しようがないだろう。
すきです！ドラやきなら、まい日食べてもあきません。
やはりぼくなんか。
いちばんいけないのはじぶんなんかだめだと思いこむことだよ。
自分ほどすぐれたロボットが、この世にいるものか、と。

世界一とはいわないけど、ネコ型《がた》ロボットとしては、二番めか三番めだな。
その調子だよ。
そうだ! ぼくは科学文明の、22世紀《せいき》からきたんだぞ。
そう、そう。
ようどこ行くんだウスラデブ!
あ!
だめ…、とてもだめ。
きりがないや。
よし! てっとりばやく見本《みほん》を見せよう。
やってみりゃかんたんなことさ。
ぼく、野比《のび》のび太《た》というものだけど。
知ってるわ。
ぼくと友だちになってよ。
もともと、友だちじゃない。

な、かんたんだろ。
なんの話よ。
これ、ほんのつまんないものだけど。
まあ、どうもありがとう。
というぐあいにきがるになにげなくわたすのがこつだ。
きみってすばらしいよ。頭もいいしきれいだし。
あら。そんなこと…。
と、まあ、おせじのひとつもわすれずに。
まだつづきがあるんだよ。
ぼくはいつも思ってる…。きみのためならどんなことでもしてあげたいと。
ほんと！
さっきは、どうも…。
るす番ができたから、でかけられるわ。
？
ちょ、ちょっと！るす番てだれのこと？
もちろんあんたよ。なんでもしてくれるっていったでしょ。

それはないでしょ。
それからどうするの?
うるさい!ひとりで考えろ。
むせきにんだなあ。
ニャーゴ。(なによ、いいたいことがあるなら、さっさといいなさいよ)
ニャゴン。(お友だちに?いいわよ)
うるさい。うるさあい!
フニャーゴ。

行かない旅行の記念《きねん》写真《しやしん》

ハワイですよ、ハワイ!
夏休みをりようして行ってきたの。
いやあ、よかったねえ。おもしろかったねえ。
君たちは行けなくてかわいそうだ。せめてしゃしんで楽しみな。
なんども見たよ。
毎日あの話ばっかり。
えんりょするな。
もういいってば。
ははあ……。
うらやましいもんで、ひがんでる。
なんだっ、ハワイぐらいでいばるなっ!
ぼくなんか、
世界一しゅうしてきたんだから。

へええ……、そう……。
じゃ、しゃしんとってきただろうね。
見せてもらおうよ。なあ、みんな。
見せて、見せて。
すぐ持ってこい。
さあ、はやく！しゃしんをとりに世界一しゅう旅行につれてってくれないとこまるんだ。
こまるといわれてもこまるなあ。
しかたない、タケコプターででもとんでいくか。
時間はどのくらいかかる。
三か月ぐらいかしら。
そんな！いますぐじゃないとだめっ。
じゃ、あれでいくか。
長いこと使ってないけど。
電車ごっこ。

これなら、あっというまにどこへでもいける。
そうそう、いっぺん海へいったっけ。
まずアメリカへいこう。ニューヨークがいい。
はっしゃしまあす。
ニューヨーク ゆき
つきました。
ドアの外はもうニューヨークなんだ。
ニューヨーク
そりゃ、たしかにふろにはいることをニューヨークというけどさ。
うん、この機《き》かいくるってる。
すぐなおる?
一週間はかかるね。

こんなこと、とつぜんいいだすほうがわるい。
おういのび太《た》、しゃしんはまだか。
みろ、やっぱりうそだ。
きまってら。
ほんとだぞっ。
あんまりしゃしんがたくさんあるので、
いませいりしてるところだぞ。
そんな大げさな。
ようするにだ、世界旅行のしゃしんをとれればいいんだろ。
絵はがきとか、ざっしの口絵とか、世界中の名所のしゃしんをあつめてきな。
ぼくがうつってないけど。
あたりまえだ。

インスタント旅行カメラだよ。
まず、これでやろう。
しゃしんはこっち。
君はそっち。
？
カシャ
もうできた。
これはいいや。
これならどこへ行ったしゃしんでもとれる。
ジャカジャカとろう。
ほれ！
ええっ、まさか？

のび太《た》くんがパリにいる。
ロンドンにも!
南きょくにも!
どう? もんくある?
まあっ。
こんなとこへも行ったの。
行ったからしゃしんがあるんだよ。
ゲ!
いくらなんでも、こりゃまずかった。

を盗《ぬす》み出せ
のび太《た》さん!!
なんでもおきっぱなしはいけないっていっているでしょう。
はい!はい!
ちゃんともとへもどしておきなさいと……。
ちょっと!なによそれ。
物《もの》置《お》きのすみでみつけた。

ママのダイヤ
ママの子どものころのアルバムでしょ。
こんなかわいいころもあったのね……。
いまはにくたらしいけど。
なつかしいなあ。
あっ、これだわ！
今でもおもい出すとくやしくてくやしくて。
なに？なに？

ママがおばあちゃんにだっこされてるところでしょう。
ゆびをみて。
何か光ってる。
ダイヤ!?
こんな大きな?
今なら何千万円するわよきっと。
あれさえあれば、この家もたてなおせるし……。
ドラやきが何十こ……いや、何百こも買える。
テープ・レコーダーもラジコンセットもほしいものは何でも……。
なんでなくしたのさ。
ママのばか!!
わたしのせいじゃないわよ。

わすれもしない昭和二十三年七月十日。
ふたりのあやしい男がしのびこんで、
ぬすんでいったんだって。
チキショウ。
ぼくがいればどろぼうなんか、おっぱらってやったのに!!
おいはらいにいこう。
あっ!そうか!
タイム・マシンがあったんだ。
昭和二十三年七月十日へ。
ママの生まれた家はこのへんだよ。
たばこ

あっ、アルバムそっくり！
つけていこう。
まだ近眼《きんがん》になっていないんだね。
なによあんたたち。
子どものころから強かったんだなあ。
わけを話すのもまずいし。
こまったな。
あの家にダイヤがあるのはたしかだ。
まもなくどろぼうがはいるのもたしかだ。

なるべくならダイヤの近くで見はっていたほうが、安心だよな。
しのびこもう。
玉子《たまこ》さん！
なんどいったらわかるんです！
出しっぱなしは、いけません。
きちんとおかたづけしなさい！
なんだい、ぼくと同じこといわれてる。
ダイヤは、どこにしまってあるんだろう。
たんすの中あたりだろ。
あった!!

だあれ あんた たち!
おかあさん へんなひとが!
まあ きみが わるい。
みつけたら ぶっとばして やっから。
ははあ!
あのふたり、これを ぬすみに きたのね。
ママ! これ ダイヤでしょ。すごく高いんでしょ。
え、まあね。
わたしが おとなに なったら ちょうだいね。
いい わよ。
ちょっと だけいま、かして。
また ほうり 出して!
およめさん ごっこ するもの よっとい でえ。

しょうがないなあ、何十万円ものダイヤをおもちゃにするとは。
それにしても、ふたりぐみのどろぼうはいつあらわれるんだ。
カチ
カチ
カチ
わあい紙《かみ》しばいだ。
あっ、あっ。
その時!!高《たか》らかなわらい声《ごえ》とともにあらわれいでたる、黄金《おうごん》バット!
どうするこれ?
このまま、ぼくらの時代《じだい》へもってっちゃうか。
それじゃどろぼうだ。

まあまあすみません。
ほんとにこまった子《こ》。いくらいってもこうなんだから……。
そうだわ
!
それもってってもらおうかしら。
ええっ、何千万円ものダイヤを?
いいえ安物よ、ガラス製《せい》の。
!
玉子《たまこ》におきゅうをすえましょう。あのだらしない性格《せいかく》はいまのうちになおさなきゃ。
ダイヤをなくしたですって
?
みつかるまでさがしなさい。
ほうり出しといたのが悪いんだから。
きっとあのふたりがとったのよっ。
かわいそうに。

ああ
あの時、
紙しばい
さえ
こなければ
ねえ……。
今さら
ほんとの
ことを
いわない
ほうがいい
だろうね。
だろうね。
のび
ちゃん！
げんかんに
カバンが
ほうりっ
ぱなしだっ
たわよっ。
およめさん
ごっこ……
な！
紙し
ばい
……
な。
へんね。
……
あのこと
知っているわけ
ないと
思うけど……。

さいなんにかこまれた話

きょうはなんだい。
あるいてて電柱にぶつかった。
きみってひとはでるたびにぶつかったりころんだり。
ほんと！
どうしてぼくは、こう運が悪いんだろ。
注意力がたりないんだ、いつもぼけっとしてるから。
ちがう
ぼくは不幸な星の下に生まれついてるんだ。
せめて、ふりかかるさいなんを前もって知ることができるものなら、
さけようもあるんだけど。

あらかじめ知《し》りたければ……、
さいなん報知器《ほうちき》だ。
さいなんが近づくと、ブザーがなる。
しかし、そんなものにたよるよりも、
ほんとはきみ自身が、
もう少し日ごろの行動に気をつけて……、
あれ、もうどっかへいっちゃった。
ポイ
ためしてみるぞ。
まっすぐあるけば、画びょうをふんづけることになる。
はたしてブザーがなるかどうか……。
ビビビビ

これで安心して歩けるよ。
ビビビ
ビビビ
さっそく何かあるらしい。
しかし……、
何があぶないのかな。
つまずきそうな石もないし、ぶつかりそうな車も通ってない。
かみつきそうな犬もいないし、いったい何が、
ビビビ
ビビビ
ガシーン
やあ、ごめん。
これからはブザーを信《しん》じよう。
ビビビ

なんだなんだ。
のび太《た》のやろうをみかけなかったか。
あいつめ、おれになぐられたことを、おふくろにつげ口《ぐち》しやがった。
あらためてぶんなぐってやる。
うちにひきこもっていよう。
そとはさいなんだらけだ。
ビビビ
のびちゃんたら。
ろうかに画びょうなんかおとして!
帰ったらうんとしかってやらなくちゃ!
ビビビビ
こっちにもなにかあるらしい…。

こっちにも！
いったいどっちへ、
にげればいいんだ！
かくれさせてもらおう！
なりやまない……。
だんだん音《おと》が大きくなる！
いったい……、どんなさいなんが……、
せっかく赤《あか》んぼがねついたとこだったのに……！

ネズミとばくだん

どうしたの、おちつきなさいよ。
いいとしして。
で、で、で、で、でたのよ。
どうもね。おとながあんなにうろたえるとみっともないもんだね。
……………。
!
チョロ
ネズミだ!!

ダダ
ダダダ
なんだい、ひとのこといえないや。
ドラえもんに、22世紀《せいき》のねずみとりをだしてもらおう。
ズダダダダ
ギーン
ギーン
あぶないじゃないか。
ごめん。ねずみかとおもった。
ぼ、ぼくはねずみのねの字をきいただけで、ぞうっとするんだ。
一分でもはやく、おそるべきねずみをたいじして、平和な家を、とりもどそう。
そうしよう。

きみも、ぶきをもってたたかえ！
ジャンボ・ガンだ。
ズシリ
ママは、熱線銃《ねっせんじゅう》。
ジャンボ・ガンは、一発で戦車《せんしゃ》をふきとばす！熱線銃《ねっせんじゅう》は、一しゅんのうちに、鉄筋《てっきん》のビルをけむりにしてしまう。
てきはどこにかくれていて、いつおそってくるか、わからない。くれぐれもゆだんしないよう！
幸運をいのる。
いくらなんでも、大げさだ。
家の中で、こんなもの。
タタタ
おだやかな方法《ほうほう》が、ありそうなもんだ。
ね、ね、ね……。
ズダダダ
出たか。

ね、ね、ね、なんていうからびっくりしたんだ!
気がたってるから、さからわないほうがいいわ。
どこだ。
どこにかくれているんだ。
こんなにさがしたのにあらわれない。
だが、どこかにいることは、たしかだ。
かんがえただけでも、ぞっとする。
ようし!
こうなったら……、
スト
地球はかいばくだんを!
フヒーッ、ヒ、ヒ、ヒ、ヒ。
ねずみこわさに、気がへんになったらしい。
ど、どうしましょう。

ドラちゃん、よろこんで！
きみの勢《いきお》いにおどろいて、ねずみはにげていったよ。
ヘタ
ヘタ
ホーッ
よかった……。よかった。
ドラえもんが、あんしんしてるすきに、ほんとうにやっつけなくちゃ。
こわがってなんか、いられないわ。
ただいま。
ねずみが……。
なになに？
そんなにおこるようなわるいこと、なにかぼくいったかなあ。

未来《みらい》からの買いもの

また新型《しんがた》
買ったよ。
八段《だん》変《へん》速《そく》だぞ。
ヒャー
すげえ。
ぼくも
買って
もらお
う。
今もってる
自転車は
きらいだ!
乗れない
から。
なにがなんでも
買うぞ!
なにがなんでも
買いたいん
だよ!

このクラブは、もう十年つかってるんだ。
そうおっしゃいますがね。
このお洋服も、ずいぶん長いこと着てるのよ。
むりだね。
世のなかにはほしいものがいっぱいあるのに。
買えないなあ。
買えないなあ……。
ねむい。
なんだろこの本は?

全商品
カタログ
2087年版
未来《みらい》のカタログか。
いろいろめずらしいものがのってるなあ。
衣類《いるい》・家具、台所用品……。あっ自転車もあるのか！
ひとこぎ百メートル！最高時速《さいこうじそく》二百キロ！
しょう突防止《とつぼうし》道順記憶《みちじゅんきおく》装置《そうち》つき。
すごいなあ！
こんなのほしいなあ……。
カタログ
あっ。
ああっ。
こ、これはいったい？
ほしいといっただけで品物が出るなんて！
よしっ！もっとためしてみるぞ。
カタログ

ゴルフクラブ最新製品《さいしんせいひん》。
強力スプリングシャフト！ボール誘導《ゆうどう》装置《そうち》つき。
このゴルフクラブほしい！
ヒュウン
でた!!
この服もほしい。
ヒュウン
いいからとっといてください。
いつもおせわになってるほんのおれいです。
さすがに未来《みらい》の自転車だなあ。
ぼくが乗っても、ひっくり返らない。
ビュウ

なあに、いまの風みたいなものは?
キーッ
やあ、しょくん。
どう?ぼくの最新型《さいしんがた》自転車は。
時速《じそく》二百キロ?
どこに売ってた?
エヘヘ、これがあれば、
何でも手にはいるんだ。
なんならきみたちにもほしいもので……。
出して!
おれにかせ!
ステレオやらテープレコーダーやら人形やら、
どんどん出してやったら、みんな大よろこび!

ナ、ナ、ナ……、……。
なんてことを！
おどかすな。ぼくがなにかした？
なにかしただって。
これはね、通信《つうしん》はん売《ばい》のカタログなの！
えっ、品物の代金をとりにくるの？
いつ？
いくらぐらい？
ばかにたくさん買ったからね。
五百万円ぐらいかな。
そろそろくるだろ。
たいへんだ、品物返そう。
返品はみとめられないの！
それで代金をはらえなかったら？
さぎの罪《つみ》でつれていかれちゃうんだ。

いやだあ、なんとかしてえ。
かってなことするからだ。
きみが、こづかいから、月ぷではらったとして？
月五百円として……。
ええと、ええと。
パパたちに、そうだんするしかないね。
だめにきまってる。
ええたしかに、
のび太《た》という子はうちにいますけど…。
そののび太さんが自転車を………。
うちじゃ、自転車なんか買いませんたら！
にげろっ。

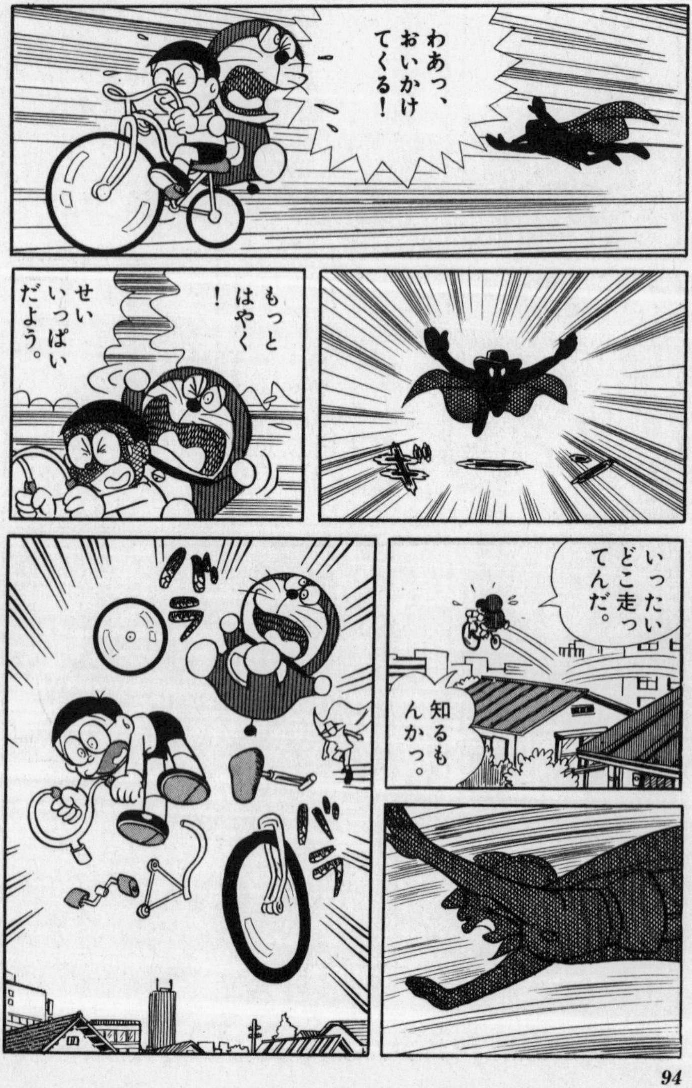
わあっ、
おいかけ
てくる！
もっと
はやく
！
せい
いっぱい
だよう。
いったい
どこ走っ
てんだ。
知るも
んかっ。
バ
ラ
バ
ラ

ドサ
ゆるしてくださいっ。
え?
じつは、あの自転車は発売したばかりですが、欠《けっ》かん車であることがわかったので回収《かいしゅう》しているのです。
最高時速《さいこうじそく》で走ってると、バラバラになるのです。あんな物売ったとなれば、わが社の信用《しんよう》にかかわりますので……。
ほかにお買いになった品は、無料《むりょう》にしますので、どうかこのことを秘密《ひみつ》に……。
どうして、ぼくの分もうんと買っといてくれなかったんだよ!

石器《せっき》時代《じだい》の王さまに

ぼくにぴったりの時代！
なにが？
石器《せっき》時代だよ。何万年も昔《むかし》、人間がサルみたいなくらしをしてたころ。
電とうとか自動車とかひこうきとか、べんりなものをなにひとつ知らないだろ。
そこへぼくがいって、いろいろ教えてやる。

たとえばさ、
あの時代《じだい》に火をおこすには木をこすったりたいへんだったんだ。
そこでぼくが、シュッとマッチをすってみせる。
ワッとおどろいてひっくりかえるよ、きっと。
夜になればまっくらだ。電とうなんかないからね。
野獣《やじゅう》やなんかがしのびよってくる。
サッと、かい中電とうをつけておどかす。
ピカ
野獣《やじゅう》はにげだす。
みんなよろこぶ。
ラジオでロックなんかきかせると、もう大さわぎ。
てっきり魔法《まほう》だとおもって、ブルブルふるえるよ。
だれもぼくのことばかにしない。
それどころか王さまにしてくれるかもしれない。
そううまくいくかね。
ドラえもんはついてこなくていいよ。
王さまはひとりでたくさんさ。

十万年もさかのぼればいいかな。
ぼくの世界だ。
ここには、まだ文明をもたない人類《じんるい》がいる。
生まれたての赤《あか》ん坊《ぼう》みたいに、何もしらない人たちだ。
ぼくがこれからいろいろと教え、みちびいてやるんだ！
ひょっとして、ゴリラみたいなすごいやつらかもしれないが……。
こっちが愛情《あいじょう》をもってやさしく近づけば、
きっと、なついてくれるとおもうよ。

なんてことだ。
村なんかひとつもみつからない。
朝からこれだけ歩きまわって、人のけはいさえしない。
考えてみりゃあたりまえだ。十万年前なら、人間の数も少なかったからな。
地球のあっちこっちで、ひとかたまりずつちらばってくらしてたんだろうな。
あほらしくなってきた。
かあえろ！
また！
タイムマシンでくると、いつも出口がわからなくなるんだ。
道をきこうにも交番もないと。
オロオロ
ウロウロ
よわったことになったなあ。

ボチャ
わあっ。
たすけてえ。
こいつサルかしら人間かしら。
人間にしちゃまのぬけた顔をしてるじゃない。

石器《せっき》時代《じだい》の人だ。
やあ、きみたちがたすけてくれたのですか。ありがとう。
原始人にはこうきこえる。
人間のことばしゃべれない。
やっぱりこれはサルだ。
ちょうどよかったわ。
晩《ばん》のおかずに……。
まって、ぼくかってやりたいよ。
なにいっているのかわからないけど、ぼくのことそんけいしてるのはたしかだ。
スネルの動物ずきにはまいったよ。
ちゃんとせわして、かわいがってやるのよ。
けっさく！こいつ、スネ夫《お》にそっくりだ。
グイ

わあっ、なにするんだよっ。
ぼくは王さまになるんだぞ。こんなことしていいのかっ。
かわったなき声だなあ。
ズルズル
おうい。
いいだろ、めずらしいサルだぞ。

とうさんが、川でひろってきたんだぞ。
まあめずらしい。
たべな。
そんなものたべられるかい。
かんづめだぞ。たべたことないだろ。たべてみておどろくな。
かん切りわすれた。
火をおこしてさかなをやこう。
いまだっ。マッチをつかってみせたら、びっくりしてそんけいするぞ。
ぬれてる。
ポキ
ポキ
あんな小さな木で火をおこすつもりだよ。やっぱりサルだなあ。

それじゃ、とっときのをだすぞ。
まほうのはこだぞ。
しゃべったりうたったりするんだぞ。
この時代にはほうそうしていないんだっけ。
かい中電とうは電池がきれてるし、
手品はタネをわすれちゃったし、
なんにもすることなあい。
にげよう。
ぼくのサルまてえっ。
かい主をうらぎるようなサルは、おかずにしてやる。
?
ヒョイ

パオーン
マンモスだっ。
たすけてえ。
ズシン

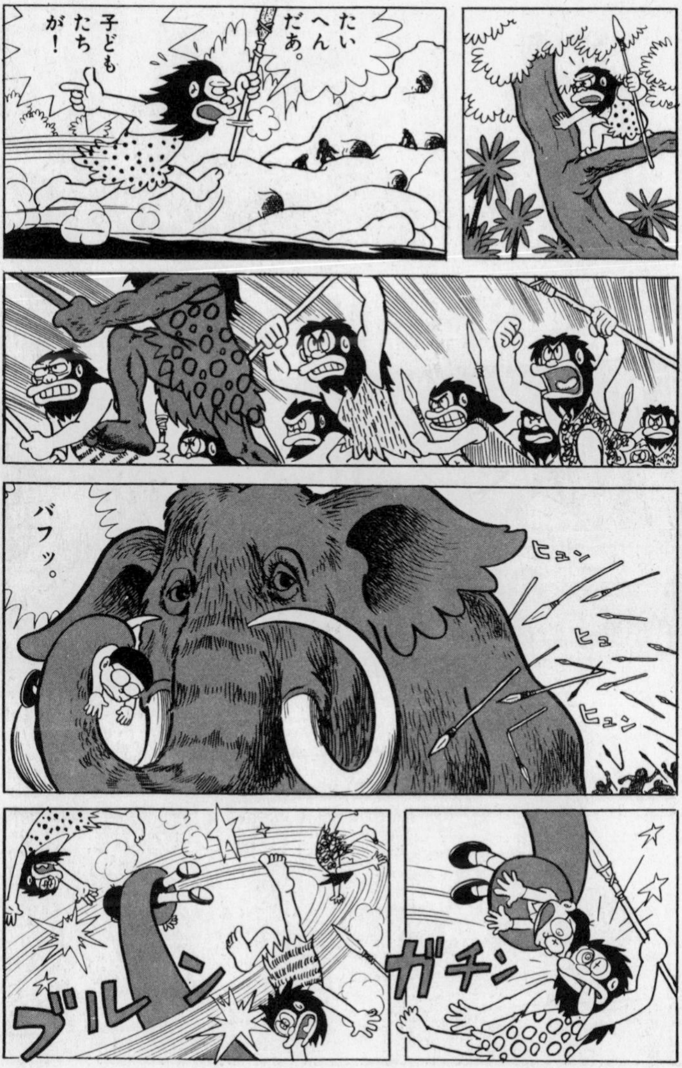
たいへんだあ。
子どもたちが!
バフッ。
ヒュン
ヒュ
ヒュン
ガチン
ブルン

クタ
グラ
?
ペタ
見にきてよかった。
ドラえもん。

マンモス
ひとうちに
たおした。
神さまだ。
か、神さま!
どうか
わしらの
村へ。
もう
かえろうよう。
もう
すこし。

くせなおしガス
ムグ
ムグ

よしなさい、はなくそをほじるのは。
いつも、いってるだろ。
ほんとにみっともないわよ。
わるいくせはなおしなさい。
でも、わるいくせならパパとママにもあるよ。
ばかいえ。ぼくには、へんなくせなんかないぞ。
わたしだって。
パパは、びんぼうゆすり。ママは、ベロだして、口のまわりをなめるの。
いまちょっと、せなかがムズムズしたんだ。くせとはちがうよ。
わたしもよ。くちびるがかわいたから、なめただけじゃないの。
ひとのことより、じぶんのくせを、なおしなさい。
じつに、一方的《てき》だとおもう！
じぶんたちのことはたなに上げて。
ま、そんなもんだよ。
じぶんのくせは、なかなか気づかないものさ。
そこをなんとか、気づかせたい！

じゃ、気づかせよう。
「くせなおしガス」
くせが大《おお》げさにあらわれるから、だれでも気がつく。
プシュ
ぼくじゃないよう。
あ、ごめん。
プシュ
なんか音がしなかった？
べつに。
ようすは、どう。
ちっともくせがでない。
いわれたばかりで、気をつけてるんだろ。
そのうちはでにやるから……。

そろそろか。
まだ。
くせがでないなあ。
ムグムグ
ムク
カポ
ど、どうしよう、これ。
きたないな。
はやくごみ箱《ばこ》へ。
ごめんくだ…ムギュ。
なに?それ。
いえいえ、つまんないものです。
お客がきたんじゃ、みこみないなあ。
あ、見ろ!ママの口もと!

ムズムズ
ペロッペロッ
ペタ
やったあ。きょうれつ!
なんです。お客さまの前で。
どうぞ、気になさらないで。
しかし……、気になりますなあ。
あっ、パパのびんぼうゆすりが……。
カタカタ
カタ
ガクガク
ガク

ガタ
ガタ
ガタ
地《じ》震《しん》だァ
ドドドド
今すぐ、びんぼうゆすりやめて。
きみこそ、ベロだすのやめろというのに。
ききすぎだよ。あのガス。
ガクガク

けんかしちゃだめよ。
どうしてそんなになかがわるいの。
二ひきいるからさ、一ぴきにまとめればいいんだよ。
ウルトラミキサーだよ。
りょうはしに、
犬《いぬ》とねこをつけて……。

ウルトラミキサー

また古道具やでへんなもの買ってきたの。
これは、大へんなねうちがあるんだぞ。
どこへおいとくんですかっ。
うちがせまくてこまってるのに。
おとうさんがかわいそうだ。
なんとかしてあげよう。
ウルトラミキサーで……。
ふろおけとまとめればじゃまにならない。
いい考えだ。
カチッ
ブウン
りっぱなふろおけだ。
もっといろいろまとめよう。
うちを広くしよう。

だれかそうじ機を知らない。
くずかごとまとめたよ。
いちいちすてなくていいからたすかるでしょ。
ズー
テレビをどこへやったんだ。
タンスとまとめたよ。
へんな気《き》もち。
アイロンが、
なんだかへんな形になっているわ。
トースターとまとめたのさ。
ポン

ジャー
ボッ
あちいっ。
カミソリと、ライターをくっつけました。
れいぞうこを、どこへやったのよっ。
トイレといっしょ。
いいかげんにしなさい。
すぐもとにもどして！
いい考えだと思ったのに。
ほかにつかいみちないかなあ。
おしいなあ。
おやつは、ふたりで一つよ。

半分《はんぶん》なんていやだ。
ぼくだって。
そうだ。あのミキサーで、
のびえもんだよ。
これからもずっとひとりでいれば、
なんにも分けなくていいね。
あそびに行こう。
いや、昼ねしようよ。
あそぶ。
昼ね。
ドタ
バタ
ひとりでけんかしているのはだれですっ。

エスパーぼうし

この新聞タネもしかけもないよ。
こうやってまるめる。
水をいれてもこぼれません。
おかしい!
テレビではうまくやってたのにな。
あれはタネがあるんだよ。
きみはぶきようだからほかのことしたら?
だめっ、手品がいちばんうけるんだ。
クリスマスのパーティで、みんなをアッといわせたいんだ。
アッとね。
だから22世紀《せいき》の手品を教えてくれってば。
手品なんか知らないってば。

じゃべつのをやる。
ちょっとそこへねて。
?
胴《どう》を切りはなしてまたつなぐ。
まった！やりかたしってるんだろうね。
テレビでは、かんたんそうだったよ。
あっ、ぼくをみすてるのか。
ピュー
まずいなあ、パーティは今夜なのに。
スネ夫《お》くん、かくしげいなにをやるかきめた？
あったりまえさあ。
みんなをアッといわせるからな。
なにをやるって？それはひみつだよ。
ガチャ
なにをやるかないしょだけど、まあ、アッといわせる自信《じしん》はあるの。
今夜をたのしみにしてな。アッといわせてやるから。

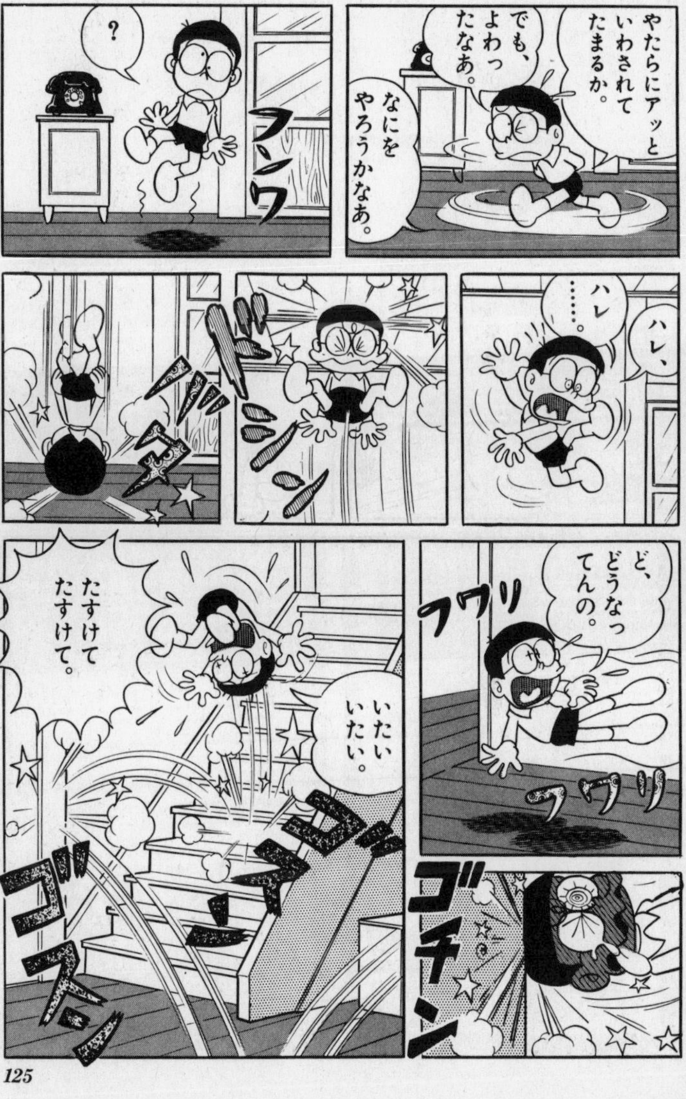

やたらにアッといわされてたまるか。
でも、よわったなあ。
なにをやろうかなあ。
?
フンワ
ハレ、
ハレ……。
ドシン
ドタン
ど、どうなってんの。
フワリ
フワリ
たすけてたすけて。
いたいいたい。
ゴロン
ゴロン
ゴチン

ははあ。
やっぱりむりかな。
なんだそれ!
エスパーぼうし。
三つの超能力《ちょうのうりょく》をだせるんだよ。
念力《ねんりき》(テレキネシス)
手をふれずに物をうごかす。
しゅん間移動《かんいどう》(テレポーテーション)
すがたを消し同時に、はなれた場所にあらわれる。

透視《とうし》（クレヤボヤンス）
遠くはなれていたり、物かげなどの見えない物を見る。
おもしろい！かしてかして。
だめなんだそれが。
かなりれんしゅうしないと。
これはつかいこなせない。
ぼくはあせっているんだぞ！
ようし！じゃ、もうれんしゅうだ。とちゅうでいやだなんていうなよ。
いうもんか。
さいしょはテレキネシス。
かるいものからいこう。
はいざらをうごかしてごらん。

ジィッとみつめて……。
心の中で、うごけうごけとおもう。
もっといっしょうけんめいおもう。
ああ。
ああ。
いるんだよ。
すぐとどけるから。
いっしょうけんめい、おもってるのに。
まだまだ、もっともっと。
おうい、まだかい。
おっ。
ジリッ
もうひといき！
カタ
カタ
そのちょうしだっ。
スッ

おとすな。
がんばれ。
う~~~~。
どいて!!
ゴイ~ン
おまちどお……、ハアハア。
ウ~
ウ~
ハアハア。
ヒイヒイ。
ようし、ざぶとんはできたね。
だんだん重くしよう。つぎはこれ。
ちょ、ちょっとひと休《やす》み。
だめっ。そんなひまないぞ。
トイレにいきたいんだよお。

じゃ、テレポーテーションでいこう。
心の中でトイレになげなわをひっかけるんだ。
それをグイッとたぐりよせるかんじ。
そらっ、からだがひっぱられてる。
カタカタ
もっと力《ちから》をいれてっ！もっと。
せいいっぱいだよっ。
エイ
ガ
ああああああ。
ゲ。

やっぱりむりだよ。なにかほかのことしよう。
なにをいまさら。
やるときめたらとことんやるんだ。
つぎはクレヤボヤンス。
なるべく遠くの家のかげで見えないところを見よう。
そんなむりな……………。
目に力をいれて!
もっともっと。
あっ、家がすきとおってみえる!
ハンカチのでる手品だな。
たいしたことないや。

タネまでみえる。
こちらは人形とダンスか。たいしたことない。
へそおどり、くうだらない。
ほかのだれのもパッとしないや。
じゃ、あんしんだね。
ぼくのがいちばんだ。
あのぼうしさえあれば。
なくなった!?
げんかんにだしといたんだ。
じょうだんじゃない。もうでかける時こくだぞ。
イヌでもくわえていったかな。

もう、みんなそろってるんだぞ。
わるいわるい、すぐ行く。
しらべさせて。
いいえ、そんなものしりませんよ。
うるさいなあ。
あのな、かくしげいができなくてこられないのだったら、気《き》にすんな。だれもおまえにはきたいしてないから。
ば、ばかにすんな。
ぼくのはすごいんだぞ。
テレキネシスとテレポーテーションとクレヤ……なんとかだぞっ。
よくしちゃったから、ぜったいにみつけないと……。

あと5分《ふん》いないにこなければけつ席《せき》とみとめる！
さきにいってる。
みつかったらもってきて。
ようよう、えらそうなことといったな。テレなんとかだって？
やって見せろ。さあ、見せろ。
いちばんおもしろいのは、いちばんあとだよ。しょくんからどうぞ。
ばあか、いちばんおもしろいのはぼくのだい。
なんだとおれさまのだぞ。

くじ引きで、じゅんばんをきめましょう。
チェッ、1番《ばん》。
エヘン！アッとおどろくな。
ふしぎな手品だぞ。
ハンカチがたくさんでるんだ。
なんだ、そんなら知ってるわ。
テレビでタネあかしやってた。
はりきってどうぞ。
あほらしい。やめた。
パチパチ
おれのはな、めっちゃくちゃにおもしろいんだぞ。
おもしろくておもしろくて、ひっくりかえるぞ。
まってました、ヘソおどり！
おなかに顔をかいておどるんだよ。
まっ、下品！
いやあねえ。エッチ。

ひとのことばかりいわずに、じぶんのをみせろ。
そうだそうだ。
さいなら。
エスパーぼうしやあい。
ハッ。
あれは……。
さてはだれかがエスパーぼうしを。
だれだろう。
あった。
みつかったよ。

みてろ！あのふたり。
テレキネシス!!
スウ
フワリ
フワーリ
それもかくしげいなの？
そうなんだ。
すごうい。
そ、そう！じつはこれがぼくらのかくしげい。
パチパチ
あんなこといってる！

テレポーテーションでとびこめ。
ようし。
そら、もうすこしだ!!
服だけいっちゃった。

テスト・ロボット

こう、手をついて……。
わるかった。きみの気のすむように、どうにでもしてくれ。
と、こういうぐあいに、
あわれっぽくもちかけるか、それとも……。

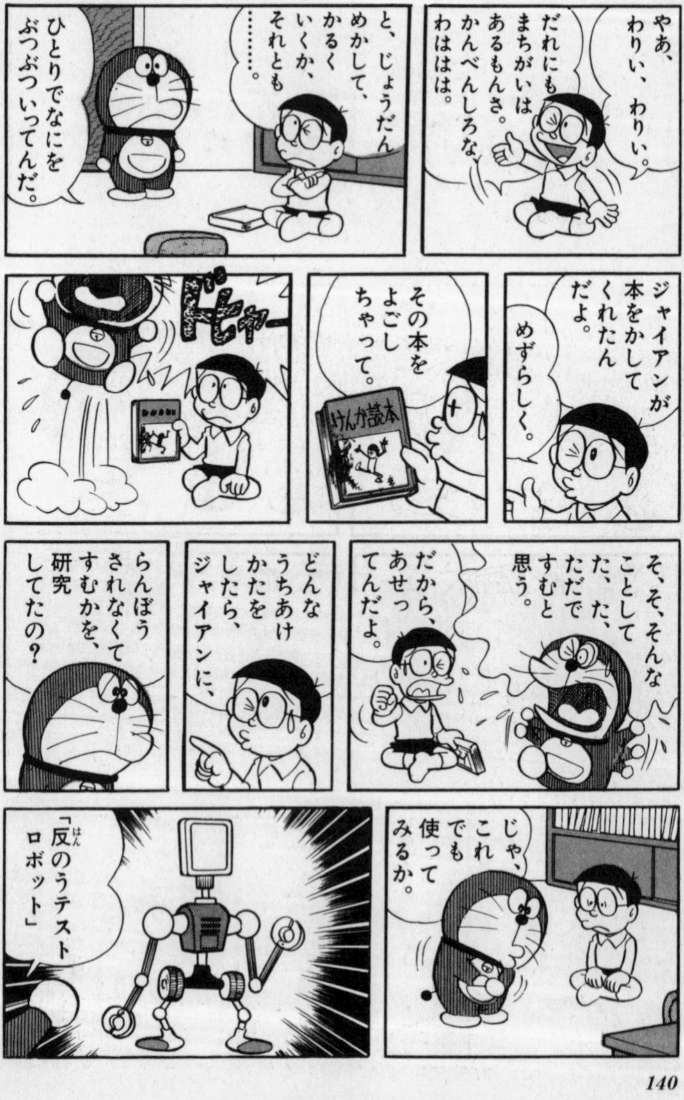
やあ、わりい、わりい。
だれにもまちがいはあるもんさ。かんべんしろな。わはははは。
と、じょうだんめかして、かるくいくか、それとも………。
ひとりでなにをぶつぶついってんだ。
ジャイアンが本をかしてくれたんだよ。
めずらしく。
その本をよごしちゃって。
けんか読本
ドモャー
そ、そ、そんなことして
た、た、ただですむと思う。
だから、あせってんだよ。
どんなうちあけかたをしたら、ジャイアンに、
らんぼうされなくてすむかを、研究してたの？
じゃ、これでも使ってみるか。
「反《はん》のうテストロボット」

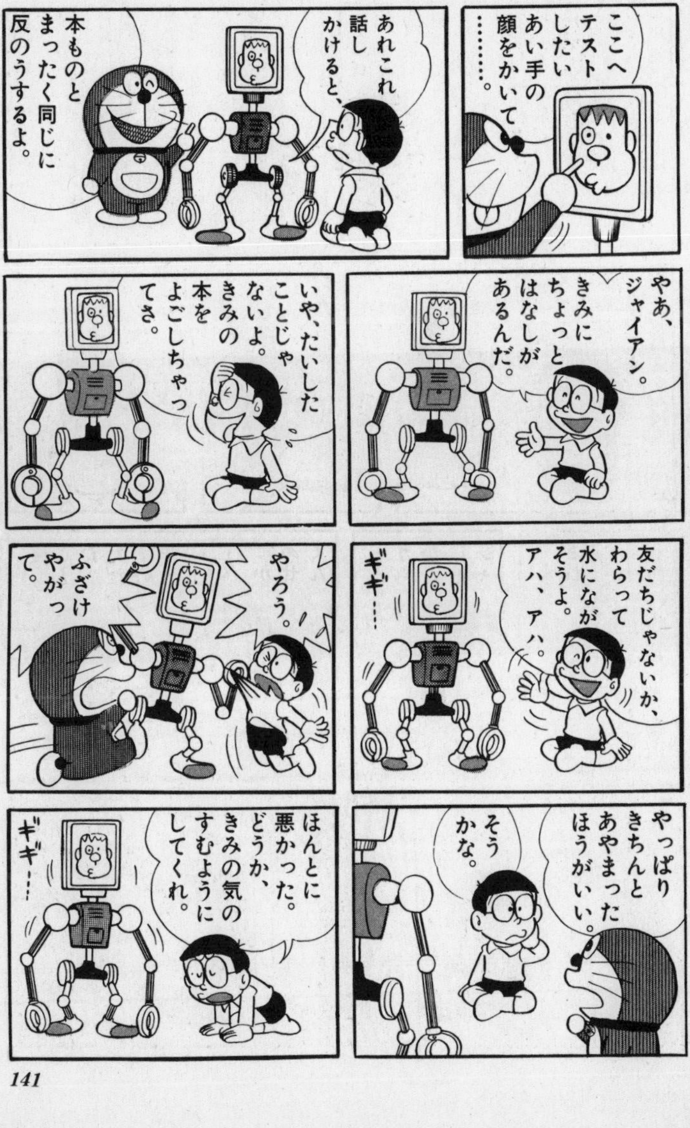
ここへテストしたいあい手の顔をかいて……。
あれこれ話しかけると、
本ものとまったく同じに反のうするよ。
やあ、ジャイアン。きみにちょっとはなしがあるんだ。
いや、たいしたことじゃないよ。きみの本をよごしちゃってさ。
友だちじゃないか、わらって水にながそうよ。アハ、アハ。
ギギ……
やろう。
ふざけやがって。
やっぱりきちんとあやまったほうがいい。
そうかな。
ほんとに悪かった。どうか、きみの気のすむようにしてくれ。
ギギ……

いいかくごだ。
気のすむまで、なぐってやらあ。
とぼけて、知らん顔して帰ったら、どうなる？
ヒァア。
ダダダダ
わあん、ゆるしてえ。
きみはどうしても、なぐられるんだよ。
いたみ止め、すぐきずを治すばんそうこう、自動まきほうたい。
ああ……………。
これが、ぼくのうんめいか……。
なにか、落とした？

ちょっとふざけておどかしただけなんだ。
友だちじゃねえか。わらって水に流そうや。
ワハハハ
きみさえよければ。
おれの本?

ポイ
?
チャ
チャッ
チャ

タヌ機《き》

いやね、ずうっと前から思っていたんだよ。
のび太の顔は何かににてるって。
今わかった。
タヌキだった。
え！
カッ
ほんとにそうだ！
わるいこといっちゃダメ!!
自分も、わらってるくせに。
それはひどい！
こともあろうに、のび太《た》くんを。
タヌキににてるなどと……。

プーッ
ク・ク
ク…
うまいこと
いうなあ。
ゲラ
ゲラ
ドラえ
もん！
ゆるせ、
あや
まる。
のび太《た》がぶじょく
されたという
ことは、
ぼくが
ぶじょく
されたと
同じだ。
ふくしゅう
しよう。
「タヌ機《き》」。
このメガネと
シッポを
つける。
まあ、
おちついて
きいて
くれよ。
昔《むかし》から
よくあるだろう、
タヌキが人を
ばかにしたと
いうはなし。
山の中で、
まっぴるま
夜に
なったり、
道にまよわせ
たり、
石じぞうを
怪物《かいぶつ》に
みせたり、
馬のウンコを、
まんじゅうに
見せかけて
たべさせたり。

「タヌ機《き》」をかけると、人をばかせるの?
そうなんだ。
メガネのツルがアンテナになってて、こっちの脳波《のうは》をあいての脳《のう》に送りこんで……、
思いどおりのまぼろしを、見させることができるんだ。
ジー
おい!
ぼくを実験台《じっけんだい》にするのはよせ!
月夜だ。
そしてぼくはタヌキだ。
ハアア、
おいらのともだちゃポンポコポンのポン。
かりる。
スネ夫《お》を、ばかしてやるぞ。

ジー
……。……。
あれえ？
この角をまがったら、商店街《しょうてんがい》にでるはずなのに…。
こ、こ、こんな……こんな……。

タヌキにばかされてるんだろうか?
この、科《か》学《がく》文《ぶん》明《めい》の時代に。
かえろ。
あれっ、もとの道がない！
じょうだんじゃないよ！
こんな山の中で、道にまよっちゃって。
ワア、日がくれる！
だれかあ。
たすけてえ。
ああん、オオカミだ。
あっ、あんなところにボロやが……。

ここでとめてもらおう。
だれかいませんかあ。
わあきれいな女の人。
あんた、こんなところにひとりですんでいて、
さびしくないのですか。
なにいってんのよ、スネ夫《お》さん。
ねぼけてるの？
やあ、うまそうなおかゆがにえてますな。
山道にまよって腹《はら》ペコなんです。
ぜひごちそうしてください。
ガブリ

ブヒャ
ペッ
ペッ
ペッ
どうもへんだとおもったら、
おまえはキツネかタヌキだな！
シッポをみせろ！
キャッ。
まてっ、正体をあらわせ！
スネ夫《お》さんが、おかしいのよ。
しっかりしろスネ夫《お》！
ゴリラだ！
いったな！
ポカ

ごめんよお。
これで胸《むね》がスウッとしたよ。
アハアハ。
ヒラリ
どうしたのよ、タヌキみたいな顔して。
アアン、ママまであんなこといってる。

ねこの手もかりたい

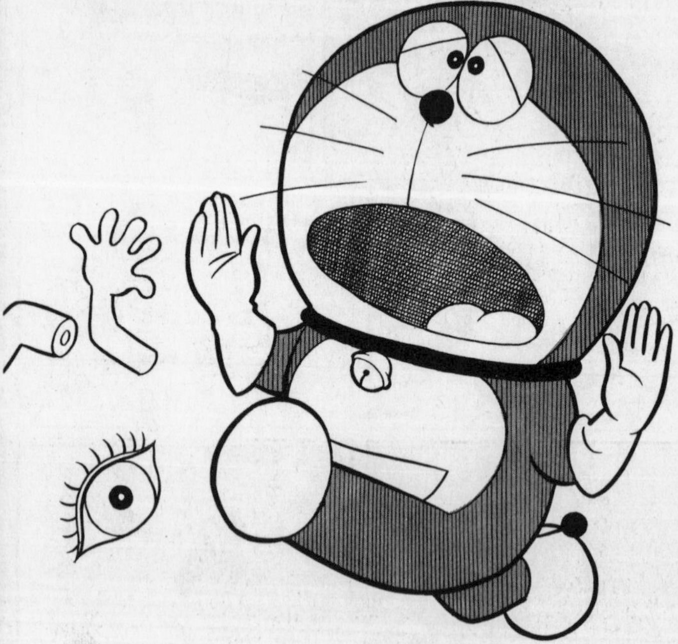

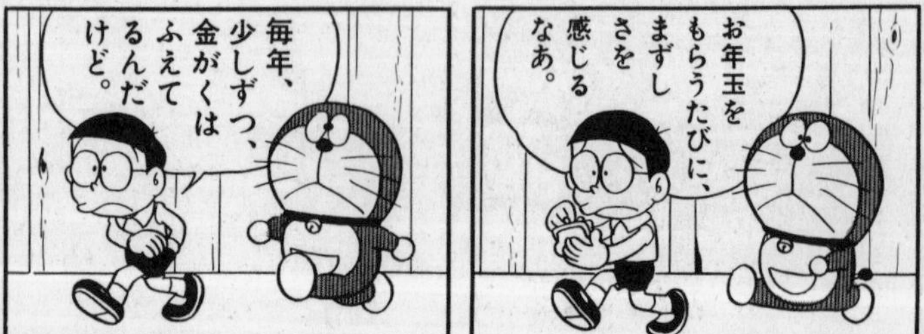
お年玉をもらうたびに、まずしさを感じるなあ。
毎年、少しずつ、金がくはふえてるんだけど。

物価《ぶっか》のねあがりが、それをうわまわってるんだ。
どこかに十円でも落ちてないかな。
キョロキョロ
ブブブゥ
どこ見て、歩いてるんだ!

気をつけろよ。だいたいきみはいつもぼんやりして……。
むりいうな。
うしろに目がついてるわけじゃなし。
うしろに目が…。
そうか、そんなら。
「つけかえ手ぶくろ」
お、おいなにをするんだ。
ギャッ。
カポ
からだのどの部分でも、つけかえできるんだ。さあ、うしろをむいて。
どう？
うしろが見えるだろ。
見えない。
うしろにもメガネをかけなきゃ。
あ、そうか。
コンタクトレンズをつけとく。

ワアイ、前とうしろがいっぺんに、見えるぞ。
ついでにこっちの目を足につけてよ。
十円おちてたら、すぐわかる。
キョトキョト
すぐわかる。
野《の》比《び》くん!
あけましておめでとう。
どなた?
ああ、先生か。
あけましておめでとうございます。
やはり前につけとかなきゃ、まずいよ。
いやだ、どうしても十円ひろうんだっ。
しょうがないな。

なるべくなら
これは…。
つかいたくないんだけど。
これでもない。
これもちがう。
からだの部品がいっぱいあるんだね。
これだ！人造《じんぞう》目玉。
それでいいだろ。
ついでに、頭の上とりょうがわにもつけて。
ほんとにもう、めんどくさい……。
手ぶくろかしな。
じぶんでやるから。
いろいろくっつけちゃえ。
とんでもないっ。
だめっ。あそびにつかっちゃ。
いいじゃない、ちょっとぐらい。
カポ

見えないよ、かえせよ。
ごめんな。
すぐかえすからね。
おぼえてろうっ。
これは、たいへんなものですよ。
つかいかたをくふうすれば……、
大もうけできるかも……。
ウシシシ
こうしたらいいかな。
それともああしようかな。
のびちゃん、ちょっと手をかして。
あいよ。
一本でいいね。
でかけてくる。

バア。
オバケ!
こわがらなくていい。
ともだちみんなにでんわをしなさい。
え?
すぐあそびにこいって。
いいね。
きみがわるいからいうとおりにしよう。
ジャイアンくんか、
あそびにこいよ。
やあ、サブローうちへこいよ。
こんちは。
のび太《た》か、いまでんわするとこだった。
だからきたんだよ。

三つ目小《こ》ぞう。
なにが三つ目ざます。
あれえ、へんだなあ。
やあ、みんなきたよ。
なんだよ、いきなりよびだして。
おれテレビみてたんだけどな。
ブツブツいうな。
ぼくだって、よびたくてよんだんじゃないや。
ひとをよびつけといて、そんなあいさつがあるか！
なんかうまいものくわせろ。
そうだそうだ。
チェッ。

だいふくは四個《こ》だよ。
おれたち五人だな。
それしかないんだよ。
じゃ、こうしたらどうかしら。
トランプをやって、勝ったものが、ぜんぶ食べるの。
そうだそうだ、それがいい。
トランプは、あい手のもちぶんをしってるとだんぜん勝負《しょうぶ》がしやすいのだ。
フム……、なるほど。
ホウ、いい手だな。
むかいがわの手が、見えないや。

足の先に足をつぎたして……。
ゴソゴソ
フムフム。
のび太《た》さんのばんよ。
なにゴソゴソやってんだ。
はやくやれ。
あわてなさんな。どうせ、ぼくの勝ちにきまってる。
だからこれはもうぼくのものなのだ。
パクパク
ムシャムシャ
?
パクパク
ムシャムシャ
なんの音だい。

オバケ!!
バレたか!
やっぱりだ。へんだへんだとおもってた。
おどかしてごめん。
これもせんでんのためなんだ。
貸し目貸し足。
貸しうで貸し口。
そのほか、なんでも一日十円でかします。
友だちやうちの人にもおしえてあげよう。
ご用《よう》のかたはぼくのうちへ。
おまちしております。

やあ、ドラえもん、かえってたの。
もうすぐ、うわさをきいてお客がくる。ガッポともうかる。
きみのすきなドラやきをうんとかってやるぜ。
ムスッ
おい、なんとかいえよ。
おこってんの？
こんにちはあ。
いらっしゃい。
あの……。
わかってるよ、もうひとつ口をつけたいんでしょう。
やきいもなんかこっそり食べようとおもって、このくいしんぼ。
どこへつける？やはり、おなかがいいよね。
ちがうのよっ。
もっとパッチリしたすてきな目ととりかえたいのよ。
なんだ、お安いご用。

ええと、目玉……目玉……。
これなんかパッチリしてるな。
もとの目をはずして……。
ニャーゴ。
しつれい！ネコ用でした。
ガリガリ
フギャー。
少女まんがみたいな目がほしいのよ。
そんなのあったかな。
オウ、すばらしい!!まんがそっくり。
へんなほめかた。
まいどありい。
いらっしゃい！大はやりだね。
キョト
キョト

じ、じつはぼく……。
はずかしがらずに、はっきりいいなさい。
そのひどい顔をとりかえたいとか。
そんなんじゃないやい。
じ、じつはぼくのただひとつのけってんはチビだってことだ。
………………。
ほう、すらりと長い足がほしいって?
これなんかいかがでしょう。
これ、女ものじゃないの。
でも、かっこいいよ。
なんでもいいなさい。ひみつはまもるから。
で、でも……。わらわれそうで……。
ぜったいわらわない!
き、きっとだな。
エエッ、でべそをとりかえたいって。
あいにくかしヘソってのはないんだ。

なんだと!おれのひみつをきいといてできないじゃすまされんぞ。
ドタ
バタ
きさまのヘソをよこせっ。
そんなむちゃな。
この足ひどい水虫《みずむし》だぞっ。
この目ナミダがとまらないわ。
ドラえもん、目をかえすからたすけて!
ひどいめにあった。
なれないことをするもんじゃないな。
あれ…。
うでなんかつけかえてなにをするの。
かんべんしてよ〜〜〜。もうこりたから。

ピーヒョロ　ロープ

とって。
ピーヒョロロープにとらせよう。
ロープとふえとがくふ。
ええと、どのきょくがいいかな。
もってこい
これだ。
やねのボールもってこい。
ピイヒョロ
はい、どうぞ。

ほかにもいろんなきょくがある。
にづくりがうまくいかないわ。
にづくりのきょくは……。
パラパラ
にづくり
あった。
クルクル
まあ、じょうずね。
プチン
出してくるからるすばんしててね。
おやつもってこいのきょくもある。

ゴン
ゴン
ドラやきだ。
べんきょうのきょく。
トランポリンのきょく。
ポン
ポン
こんちは。
だれかきたよ。

おきゃくさまのきょく。
ほう、おまえたちだけしかいないのか。それじゃ、いうけど……。
おれはどろぼうだ。
かねをだせ。
ぼくもっていない。
おや。
めずらしいふえだ。
?
グルグル
こうやってふくのか。

にづくりのきょくをふいたんだよ。

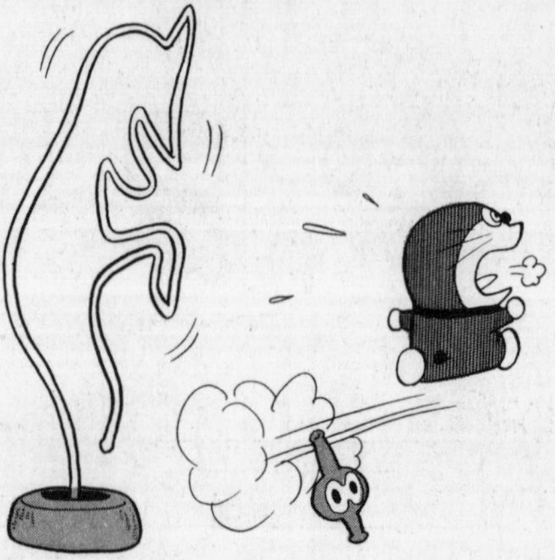

山おく村の怪事件《かいじけん》

ドラえもんの妹ドラミちゃんのかつやく！

ダダダ
ガガガガ
ドカドカドカ
ダダダ
うるさくて聞こえやしない。
ピシャ
今なんていったの?
のび太《た》さんのいってること聞こえないって!
さっきからそうだんしてたんだよ。
きょうはパパとママのけっこん記ねん日だから。
何かプレゼントしたいってわけ?
あっとおどろくようなもの、何かないかな。
ううん……。
むずかしいなあ。
どんなものがほしいのか、それとなく聞いたほうがいいわよ。
そうかなあ、やっぱり。

パパ！ちょっと聞くけど……。
どこへ行ったのかな。
う……、何か用かい？
おし入れの中でもねむれない？
うん、あの音がガンガン頭にひびいて。
ほんとに。
朝からうるさくて、ノイローゼになりそうだわ。
ガガガガ
ダダダダ
ドスンドスン
ドドドドド
安全第一
せっかくの日曜日なのに。
せめて一日、ゆっくりと昼ねしたいなあ。
そうだ！
いいこと思いついたぞ。

どこか、しずかなところへ、つれて行ってあげよう。
けしきがよくて、しずかでゆっくり休めるところ。
そんなとこあるかなあ。
コンピューターでさがしてみる。
こまってるらしいわ。
あった!!
ピン
高伊山《たかいさん》の山おく村だって。
聞いたことない……。
とにかく行ってみましょ。
ミュウ
そのドアをくぐるとどこへでも行けるんだね。
山おく村へ。

わっ、雪がこんなに！
高い山の山おくだもの。

ほんとにだれもいないよ。きみがわるいくらいシーンとしてる。
こんちは……。
みんなどこへ行ったんだろう。
はいりますよ。
ソロリ
ズボ
ゆかがくさってる。
キャア!!
いやだいやだ。
オバケでも出そうだ。帰ろう。
ばかねえ。

おそうじすればきれいになるから。
ヌウ
レッツゴー!
いろいろもっていかなきゃ。
なんにもないとこだから。
ドタバタ
ドタバタ
ドタバタ
ラーメン
ドタバタ

何やってんだ!
少し、しずかにしなさい。
さあ、どうぞ。ぼくらのプレゼントだよ。
えんりょなくはいって休んでよ。
よくねむれるよ。
ど、どこなのよ、ここは。
いけないよ。よその家へだまってあがりこむなんて。
ここは高伊山《たかいさん》の山おく村です。
村じゅうさがしたけど、ネコ一匹《ひき》いないんだから。
で、でも、どうして……。
だれもすんでないの。
どうしてか知らないけど。
このほうがしずかでいいでしょ。
前にざっしで読んだことがあるぞ。

ここにすんでた人たちは、二、三年前に村をすてたんだ。
え、どうして?
すみにくかったんだ。電気も水道もきてないしな。
学校も遠いし、おいしゃさんもいない。
冬になると、雪にとじこめられて、何か月も町へ出られない。
ポタッ
ポタッ
しずかだねえ……。
生きかえったみたいな気がする。

どおこおかあで春が生まれえてる。
どおこおかあでめえの出る音があするう。
どおこおかあでひいばりがないてえいる。
よろこんでる。
よかったわね。
おやつにラーメンでも作ろう。
ラーメン
ここが台所だね。
ラーメン
かまどでおゆをわかすなんてはじめて。
ゴボゴボ
ヌゥ
なかなか火《ひ》がつかない。

ゴホゴホ。
おゆがわくまであそんでこよう。
ウ……。
のんびりするなあ。
雪合戦《ゆきがっせん》しようよ。
よおし、ひさしぶりにやるか!
ではつぎのニュース……。
高伊山《たかいさん》で行くえふ明になった金原《かねはら》さんは、
七日たったきょうになっても見つかっていません。

現場《げんば》は、なだれの危険《きけん》があるため、そうさもはかどっていません。
だ、だれか―――
た、たべ物《もの》―――
バリバリ
ボリボリ
やっと声が出るようになった。
道にまよって、のまず食わずで七日間。
やっと村を見つけて……。
人がいたからたすけてくれって、
近よって行くたびに、どっかへ行ってしまうんだもの。
あっ、むこうのほうで、人の声がする。
おうい、たすけてくれ！

パパ、いがいとうまいじゃない。
学生野きゅうのピッチャーだった!!
おうい。
たすけて。
ドサ
ドサ
まって!今、へんな声が聞こえなたった?
木のえだから雪がおちたんだよ。
なあんだ。
う……。

ねえ、これで雪だるま作らない？
よしきた。
大きいの作ろう。
コテ コテ
ワアイ、できた!!
東京《とうきょう》じゃ、こんな大きなのできないね。
みんなに見せてやりたいな。
もって帰ってうちのにわにかざりましょ。
はこべないわ大きすぎて。
ゴ
ゴ

ゴー
うちのにわへひらけ。
ドアをくぐるかな。
ただのドアじゃないんだから。
スポ
あっ、おゆをわかしっぱなしだった。
早くラーメン作ろう。
おなかがすいた。
ムクムク

だ、だれか……。
たすけてえ！
だれ！ラーメン食べちゃったの！
だれもいるわけないでしょ。
けものだろ。タヌキかサルか野ネズミか。
おいしいごちそうを作ってあげるから。
いろりのそばのお食《しょく》じも、いいものねえ。
はじめてだよ。
ああ、いい日曜日だった。
ビル工《こう》じの音もやんだわ。
あれっ、雪だるまが……。

 〈ドラえもん第7巻おわり／第8巻につづきます。〉

ドラえもん 7

てんとう虫コミックス

藤子・F・不二雄
藤本　弘　昭和8年12月1日、富山県に生まれる。
昭和27年「天使の玉ちゃん」（毎日小学生新聞連載）でデビュー。
代表作「オバケのQ太郎」「パーマン」「ドラえもん」「キテレツ大百科」他。
平成8年9月、没。

1975年5月25日初版第1刷発行　（検印廃止）
1999年1月30日　第130刷発行

著者　藤子・F・不二雄

発行者　河井常吉
印刷所　三晃印刷株式会社

PRINTED IN JAPAN

発行所　（〒101-8001）東京都千代田区一ツ橋二の三の一
振替（00180-1-200）
TEL 販売03（3230）5749 編集03（3230）5995
小学館

ISBN4-09-140007-8